# THE
## *Recipe Book*

Introduced
by
Geraldene Holt

STUDIO EDITIONS
LONDON

This edition published 1988 by
Studio Editions Ltd.
Princess House, 50 Eastcastle Street, London W1N 7AP, England

Copyright © Studio Editions Ltd. 1988

Introduction Copyright © Geraldene Holt

Reprinted 1991

ISBN 1 85170 214 8 (standard edition)

ISBN 0 94649 508 4 (deluxe edition)

Printed and bound
in Hong Kong

PICTURE CREDITS

All pictures from the Bridgeman Art Library, London, except for the
picture facing page 32 which is from the National Gallery, London.

# Contents

# Introduction

One of my most treasured family possessions is a small, tattered notebook – the kind that are used for household accounts – which has lost its cover and whose pages are yellowed and stained. When, a couple of years ago, my mother gave it to me, a host of early memories returned. For this is the book in which my mother wrote her favourite recipes when I was a child. I can't find a date in the book but there are some clues. Sandwiched between two recipes is the note: Geraldene 2'6" tall, sleeve, 7". I sometimes look at these measurements and try to work out how old I was when, only knee-high to a grasshopper, I had such short arms. There are more clues at the back of the book where my mother had scribbled some shopping lists of the time: butter, sugar, eggs and tea. For a family of five (and my mother was never known for her economy) the amounts are quite small, so I imagine that post-war rationing still prevailed.

Looking at the recipes, though, there are few signs of austerity. Auntie Carey's Fruit Cake, rich with butter, almonds and fruit is a recipe from Canada that makes a vast cake, which, my mother notes, was wrapped in butter muslin and kept in a drawer in the kitchen dresser. Did many people keep cakes in dresser drawers, I wonder?

After so many years the pages of the notebook are fragile and tear easily. Sometimes half a recipe is missing – which is maddening when I want to try it out. Others, happily, are complete: there's a recipe for Toffee Apples which my brothers and I made every year, without fail, for our November the Fifth Firework Party. There are recipes from friends and family – there's one from my grandmother, entitled "Mrs Brockway's Winter Pudding" and one from a mysterious Miss Parker with the cryptic message 'Not to be given to others' scrawled in strange writing at the bottom. Some people get very possessive about their recipes, it seems. We all know those tedious souls who pass on a recipe with an important ingredient deliberately missing.

I have now copied some of my mother's recipes into my own notebook. Flicking through the entries of earlier years it looks as if I've always been keen to record what I've cooked. Perhaps because I make up recipes as I go along, I see that sometimes I was so short of time I just jotted down the ingredients, the cooking temperature and the cooking time. As long as the method is not particularly unusual this can be adequate. But to be really useful it's better to record fuller details.

Some of my recipes have been written down by my children. One of them would sit at the kitchen table slowly putting down – in joined-up writing – on paper what I spelled out while performing at the stove. As I read their tiny, neat writing, memories of innumerable happy times come flooding back.

Earlier in the book there are careful records, including details of the wines, of rather formal dinner parties – the ones you give when first married – later the parties relaxed somewhat and became part of everyday life and I gave up recording them. I have always developed new recipes for parties, especially birthday celebrations. On some pages there are descriptions of elaborate cakes designed for children's parties – a monster or a steam engine, a merry-go-round and a space rocket that, at the time, seemed to be the centre of my world. There are recipes from friends, one even copied from a tea-towel which, of course, later wore out. There are notes taken on holiday – I remember a day spent with friends making sausages and potted meats in a pretty village in southern Germany, all of which I recorded in great detail complete with the recipes that we prepared that day. There are lots of recipes from friends in France and from cooks in small restaurants and grand hotels here and abroad. If a dish was especially complicated I drew little sketches to make it clear – nowadays I tend to use a camera. And, naturally, there are plenty of recipes I did not write down. Sometimes my children remind me of a specially popular pudding or fish dish that I devised and I can find no trace of it in the notebooks. I regret that they are missing and are beyond recall. So, if you can, do write in your recipes at the time.

During the years that I wrote in the notebooks I had no idea that some of the recipes would see the light of day in a proper published cookery book. Not until I was asked to write a book about the cake stall that I started in Tiverton Pannier Market in Devon did I realise that these recipes, which had been family favourites for years, would now have a wider public. My cake stall happened some years ago and now someone else runs it and I have gone on to write three more cookery books. So it's not surprising that I am now even more convinced of the value of one's own personal recipe book.

There is an art to writing a recipe which, when well done, can be most satisfying. First and foremost, a recipe is a series of instructions for how to do something or how to create a certain effect. The instructions should be clear and straightforward. Exact measurements should be given, otherwise it is virtually impossible to recreate the dish, so it's worth keeping to a set of rules. As, for example, when describing a spoonful: it is a good idea to state accurately whether a spoonful is level, rounded or heaped. You think you will remember these things but somehow you don't.

The best-written recipes give the ingredients in the order in which they appear in the method. And I think it is useful to note at the start of the recipe what needs to be done ahead, like pre-heating the oven – I even record what kind of oven I'm using, because if I'm using a fan-assisted oven the cooking time is shorter than for a conventional oven whereas the times for cooking in a micro-wave oven will be different again. It is vital to state the oven temperature and the cooking time to ensure good results.

Now we come to the written instructions. Again it is helpful to record them in the order in which you carry them out. When you start to write down your recipes it is often easier if you number the stages in the method – 1,2,3 and so on. Having said that, I still find that, on occasion, I write 'Oh, I forgot' and an arrow beside the particular instruction to show that it should have been done earlier.

Don't worry – especially, if to begin with – your instructions seem very lengthy. You gradually adopt the kind of shorthand that many recipes are written in. Most recipes can be refined a bit as you recook the dish and anyway, at some later date, you may wish to enter a new version of the recipe in your book when you can update or prune the original. When, in time, you come to look back you'll find that observing the progression of your recipes and the way they are written is fascinating. Recipes can tell so much about a time, a place and a person. How we treat our food – how we prepare it, cook it and serve it – is so revealing.

In the eighteenth century Parson James Woodforde, who was first a curate in Somerset until he took over the living at Weston Longeville in Norfolk, kept a diary. Clearly fond of food, but not a glutton, the parson tells us a great deal about the food and customs of his time. On April 19, 1768, "I gave Mrs Farr a roasted shoulder of Mutton and a plum Pudding for dinner – Veal Cutlets, Frill'd Potatoes, cold Tongue, Ham and cold roast Beef and eggs in their shells. Punch, Wine, Beer and Cyder for drinking." It was obviously quite a meal, and reading it has sent me off to hunt down how to make Frill'd Potatoes.

In his descriptions of meals, of growing his vegetables or making his own beer, Parson Woodforde conveys an enthusiasm which makes the book a joy to read. For it is the sheer, infectious and thoroughly beneficial pleasure of cooking and eating good food that seems often to be forgotten these days.

So I would urge that when you start to write in the pages that follow you put down what you feel about the food – even your most fleeting thoughts – and what others say about a particular recipe. Describe the occasion when you cooked the recipe and who shared the food. Make this book personal, make it your own. In this way the book will be far more than just a collection of recipes, for every time you read it the book will give you pleasure. In time, perhaps, others will read it, and the book may become an heirloom, handed down with pride to your descendants. And, who knows, it may come to pass that what you are about to write will one day become a published work which will enhance the lives of not just your family and friends for whom you cooked the food but also the thousands of readers whom you'll probably never meet but who will feel they have met you.

GERALDENE HOLT

# Soups

'To make good soup, the pot must not bubble
with laughter – it must only smile.'
FRENCH PROVERB

# Recipe

SERVES:————————— EQUIPMENT:——————————

COOKING TIMES:——————————————————

OVEN TEMPERATURE:————————————————

## Ingredients

———————————————————————————

———————————————————————————

———————————————————————————

———————————————————————————

———————————————————————————

———————————————————————————

———————————————————————————

———————————————————————————

## Method

———————————————————————————

———————————————————————————

———————————————————————————

———————————————————————————

———————————————————————————

———————————————————————————

———————————————————————————

———————————————————————————

———————————————————————————

## Serving Suggestions/Remarks

———————————————————————————

———————————————————————————

———————————————————————————

———————————————————————————

———————————————————————————

# Recipe

SERVES:————————————  EQUIPMENT:———————————————

COOKING TIMES:————————————————————————————

OVEN TEMPERATURE:——————————————————————————

## Ingredients

————————————————————————————————————————

————————————————————————————————————————

————————————————————————————————————————

————————————————————————————————————————

————————————————————————————————————————

————————————————————————————————————————

————————————————————————————————————————

## Method

————————————————————————————————————————

————————————————————————————————————————

————————————————————————————————————————

————————————————————————————————————————

————————————————————————————————————————

————————————————————————————————————————

————————————————————————————————————————

## Serving Suggestions/Remarks

————————————————————————————————————————

————————————————————————————————————————

————————————————————————————————————————

————————————————————————————————————————

————————————————————————————————————————

# Recipe

SERVES:_____   EQUIPMENT:_____

COOKING TIMES:_____

OVEN TEMPERATURE:_____

## Ingredients

_____
_____
_____
_____
_____
_____
_____

## Method

_____
_____
_____
_____
_____
_____
_____
_____

## Serving Suggestions/Remarks

_____
_____
_____
_____
_____

# Recipe

SERVES:——————————— EQUIPMENT:———————————

COOKING TIMES:———————————————————————

OVEN TEMPERATURE:————————————————————

## Ingredients

———————————————————————————————
———————————————————————————————
———————————————————————————————
———————————————————————————————
———————————————————————————————
———————————————————————————————
———————————————————————————————

## Method

———————————————————————————————
———————————————————————————————
———————————————————————————————
———————————————————————————————
———————————————————————————————
———————————————————————————————
———————————————————————————————
———————————————————————————————

## Serving Suggestions/Remarks

———————————————————————————————
———————————————————————————————
———————————————————————————————
———————————————————————————————
———————————————————————————————

# Recipe

Serves: _____ Equipment: _____

Cooking Times: _____

Oven Temperature: _____

## Ingredients

_____

_____

_____

_____

_____

_____

_____

## Method

_____

_____

_____

_____

_____

_____

## Serving Suggestions/Remarks

_____

_____

_____

_____

# Recipe

SERVES:_____ EQUIPMENT:_____

COOKING TIMES:_____

OVEN TEMPERATURE:_____

## Ingredients

_____
_____
_____
_____
_____
_____
_____
_____

## Method

_____
_____
_____
_____
_____
_____
_____
_____

## Serving Suggestions/Remarks

_____
_____
_____
_____
_____
_____

# Recipe

SERVES:_____  EQUIPMENT:_____

COOKING TIMES:_____

OVEN TEMPERATURE:_____

*Ingredients*

_____
_____
_____
_____
_____
_____
_____

*Method*

_____
_____
_____
_____
_____
_____
_____

*Serving Suggestions/Remarks*

_____
_____
_____
_____
_____

# Recipe

SERVES:—————————— EQUIPMENT:——————————

COOKING TIMES:——————————

OVEN TEMPERATURE:——————————

## Ingredients

## Method

## Serving Suggestions/Remarks

# Recipe

SERVES: _____     EQUIPMENT: _____

COOKING TIMES: _____

OVEN TEMPERATURE: _____

## Ingredients

_____

_____

_____

_____

_____

_____

_____

## Method

_____

_____

_____

_____

_____

_____

_____

## Serving Suggestions/Remarks

_____

_____

_____

_____

_____

# Recipe

SERVES:                         EQUIPMENT:

COOKING TIMES:

OVEN TEMPERATURE:

## Ingredients

## Method

## Serving Suggestions/Remarks

# Recipe

SERVES:_____    EQUIPMENT:_____

COOKING TIMES:_____

OVEN TEMPERATURE:_____

## Ingredients

_____

_____

_____

_____

_____

_____

_____

_____

## Method

_____

_____

_____

_____

_____

_____

_____

_____

## Serving Suggestions/Remarks

_____

_____

_____

_____

_____

# Recipe

SERVES:_____ EQUIPMENT:_____

COOKING TIMES:_____

OVEN TEMPERATURE:_____

## Ingredients

_____
_____
_____
_____
_____
_____
_____
_____

## Method

_____
_____
_____
_____
_____
_____
_____
_____

## Serving Suggestions/Remarks

_____
_____
_____
_____
_____

# Recipe

Serves:_____  Equipment:_____
Cooking Times:_____
Oven Temperature:_____

## Ingredients

_____
_____
_____
_____
_____
_____
_____
_____

## Method

_____
_____
_____
_____
_____
_____
_____

## Serving Suggestions/Remarks

_____
_____
_____
_____
_____

# Recipe

SERVES: _____     EQUIPMENT: _____
COOKING TIMES: _____
OVEN TEMPERATURE: _____

## Ingredients

_____
_____
_____
_____
_____
_____
_____

## Method

_____
_____
_____
_____
_____
_____
_____

## Serving Suggestions/Remarks

_____
_____
_____
_____
_____

# Recipe

SERVES: _____ EQUIPMENT: _____

COOKING TIMES: _____

OVEN TEMPERATURE: _____

## Ingredients

_____

_____

_____

_____

_____

_____

_____

## Method

_____

_____

_____

_____

_____

_____

_____

_____

## Serving Suggestions/Remarks

_____

_____

_____

_____

_____

# Recipe

SERVES: _____  EQUIPMENT: _____

COOKING TIMES: _____

OVEN TEMPERATURE: _____

## Ingredients

_____

_____

_____

_____

_____

_____

_____

## Method

_____

_____

_____

_____

_____

_____

_____

## Serving Suggestions/Remarks

_____

_____

_____

_____

_____

# Recipe

SERVES:———————————  EQUIPMENT:———————————

COOKING TIMES:———————————

OVEN TEMPERATURE:———————————

## Ingredients

_____

_____

_____

_____

_____

_____

_____

## Method

_____

_____

_____

_____

_____

_____

_____

## Serving Suggestions/Remarks

_____

_____

_____

_____

_____

# Recipe

Serves:_____    Equipment:_____
Cooking Times:_____
Oven Temperature:_____

## Ingredients

_____
_____
_____
_____
_____
_____
_____
_____

## Method

_____
_____
_____
_____
_____
_____
_____
_____

## Serving Suggestions/Remarks

_____
_____
_____
_____
_____

# Recipe

SERVES:————————————  EQUIPMENT:————————————

COOKING TIMES:————————————

OVEN TEMPERATURE:————————————

## Ingredients

————————————————————————

————————————————————————

————————————————————————

————————————————————————

————————————————————————

————————————————————————

————————————————————————

## Method

————————————————————————

————————————————————————

————————————————————————

————————————————————————

————————————————————————

————————————————————————

————————————————————————

————————————————————————

## Serving Suggestions/Remarks

————————————————————————

————————————————————————

————————————————————————

————————————————————————

————————————————————————

# Recipe

SERVES: _____  EQUIPMENT: _____

COOKING TIMES: _____

OVEN TEMPERATURE: _____

## Ingredients

_____
_____
_____
_____
_____
_____
_____
_____

## Method

_____
_____
_____
_____
_____
_____
_____

## Serving Suggestions/Remarks

_____
_____
_____
_____
_____

# Recipe

SERVES:——————————————  EQUIPMENT:——————————

COOKING TIMES:——————————————————

OVEN TEMPERATURE:——————————————————

## Ingredients

————————————————————————————————
————————————————————————————————
————————————————————————————————
————————————————————————————————
————————————————————————————————
————————————————————————————————
————————————————————————————————

## Method

————————————————————————————————
————————————————————————————————
————————————————————————————————
————————————————————————————————
————————————————————————————————
————————————————————————————————
————————————————————————————————

## Serving Suggestions/Remarks

————————————————————————————————
————————————————————————————————
————————————————————————————————
————————————————————————————————
————————————————————————————————

# Fish

# Recipe

SERVES: _____  EQUIPMENT: _____

COOKING TIMES: _____

OVEN TEMPERATURE: _____

## Ingredients

_____

_____

_____

_____

_____

_____

_____

## Method

_____

_____

_____

_____

_____

_____

_____

## Serving Suggestions/Remarks

_____

_____

_____

_____

# Recipe

SERVES:_____ EQUIPMENT:_____

COOKING TIMES:_____

OVEN TEMPERATURE:_____

## Ingredients

_____

_____

_____

_____

_____

_____

_____

_____

## Method

_____

_____

_____

_____

_____

_____

_____

## Serving Suggestions/Remarks

_____

_____

_____

_____

_____

# Recipe

SERVES:—————————— EQUIPMENT:——————————

COOKING TIMES:——————————————————

OVEN TEMPERATURE:————————————————

## Ingredients

—————————————————————————————

—————————————————————————————

—————————————————————————————

—————————————————————————————

—————————————————————————————

—————————————————————————————

—————————————————————————————

## Method

—————————————————————————————

—————————————————————————————

—————————————————————————————

—————————————————————————————

—————————————————————————————

—————————————————————————————

—————————————————————————————

—————————————————————————————

## Serving Suggestions/Remarks

—————————————————————————————

—————————————————————————————

—————————————————————————————

—————————————————————————————

# Recipe

SERVES: _____ EQUIPMENT: _____

COOKING TIMES: _____

OVEN TEMPERATURE: _____

## Ingredients

_____

_____

_____

_____

_____

_____

_____

## Method

_____

_____

_____

_____

_____

_____

## Serving Suggestions/Remarks

_____

_____

_____

_____

_____

# Recipe

Serves:_____  Equipment:_____

Cooking Times:_____

Oven Temperature:_____

## Ingredients

_____
_____
_____
_____
_____
_____
_____
_____

## Method

_____
_____
_____
_____
_____
_____
_____

## Serving Suggestions/Remarks

_____
_____
_____
_____
_____
_____

# Recipe

SERVES:_____  EQUIPMENT:_____

COOKING TIMES:_____

OVEN TEMPERATURE:_____

## Ingredients

_____

_____

_____

_____

_____

_____

_____

_____

## Method

_____

_____

_____

_____

_____

_____

_____

_____

## Serving Suggestions/Remarks

_____

_____

_____

_____

_____

# Recipe

SERVES:         EQUIPMENT:

COOKING TIMES:

OVEN TEMPERATURE:

## Ingredients

## Method

## Serving Suggestions/Remarks

# Recipe

SERVES:_____ EQUIPMENT:_____

COOKING TIMES:_____

OVEN TEMPERATURE:_____

## Ingredients

_____

_____

_____

_____

_____

_____

_____

_____

## Method

_____

_____

_____

_____

_____

_____

_____

## Serving Suggestions/Remarks

_____

_____

_____

_____

_____

# Recipe

SERVES: _____ EQUIPMENT: _____

COOKING TIMES: _____

OVEN TEMPERATURE: _____

## Ingredients

_____

_____

_____

_____

_____

_____

_____

## Method

_____

_____

_____

_____

_____

_____

_____

## Serving Suggestions/Remarks

_____

_____

_____

_____

_____

# Recipe

SERVES:      EQUIPMENT:

COOKING TIMES:

OVEN TEMPERATURE:

## Ingredients

_____

_____

_____

_____

_____

_____

_____

_____

## Method

_____

_____

_____

_____

_____

_____

_____

_____

_____

## Serving Suggestions/Remarks

_____

_____

_____

_____

_____

_____

# Recipe

Serves:————————— Equipment:—————————

Cooking Times:———————————————————

Oven Temperature:————————————————

## *Ingredients*

———————————————————————————
———————————————————————————
———————————————————————————
———————————————————————————
———————————————————————————
———————————————————————————

## *Method*

———————————————————————————
———————————————————————————
———————————————————————————
———————————————————————————
———————————————————————————
———————————————————————————
———————————————————————————

## *Serving Suggestions/Remarks*

———————————————————————————
———————————————————————————
———————————————————————————
———————————————————————————

# Recipe

SERVES:_____  EQUIPMENT:_____

COOKING TIMES:_____

OVEN TEMPERATURE:_____

## Ingredients

## Method

## Serving Suggestions/Remarks

# Recipe

SERVES:_____ EQUIPMENT:_____

COOKING TIMES:_____

OVEN TEMPERATURE:_____

## Ingredients

_____

_____

_____

_____

_____

_____

_____

## Method

_____

_____

_____

_____

_____

_____

_____

## Serving Suggestions/Remarks

_____

_____

_____

_____

_____

# Recipe

SERVES: _____  EQUIPMENT: _____

COOKING TIMES: _____

OVEN TEMPERATURE: _____

## Ingredients

_____

_____

_____

_____

_____

_____

## Method

_____

_____

_____

_____

_____

_____

_____

## Serving Suggestions/Remarks

_____

_____

_____

_____

_____

# Recipe

SERVES: _____ EQUIPMENT: _____
COOKING TIMES: _____
OVEN TEMPERATURE: _____

## Ingredients

_____
_____
_____
_____
_____
_____
_____

## Method

_____
_____
_____
_____
_____
_____
_____

## Serving Suggestions/Remarks

_____
_____
_____
_____
_____

# Recipe

SERVES: _____   EQUIPMENT: _____

COOKING TIMES: _____

OVEN TEMPERATURE: _____

## Ingredients

_____

_____

_____

_____

_____

_____

_____

## Method

_____

_____

_____

_____

_____

_____

_____

## Serving Suggestions/Remarks

_____

_____

_____

_____

_____

# Recipe

SERVES: _____     EQUIPMENT: _____

COOKING TIMES: _____

OVEN TEMPERATURE: _____

*Ingredients*

_____

_____

_____

_____

_____

_____

_____

*Method*

_____

_____

_____

_____

_____

_____

_____

*Serving Suggestions/Remarks*

_____

_____

_____

_____

_____

# Recipe

Serves: _____        Equipment: _____

Cooking Times: _____

Oven Temperature: _____

## Ingredients

_____
_____
_____
_____
_____
_____
_____
_____

## Method

_____
_____
_____
_____
_____
_____
_____
_____

## Serving Suggestions/Remarks

_____
_____
_____
_____
_____

# Recipe

SERVES: _____ EQUIPMENT: _____

COOKING TIMES: _____

OVEN TEMPERATURE: _____

## Ingredients

_____

_____

_____

_____

_____

_____

_____

## Method

_____

_____

_____

_____

_____

_____

_____

## Serving Suggestions/Remarks

_____

_____

_____

_____

_____

# Recipe

Serves:

Equipment:

Cooking Times:

Oven Temperature:

## Ingredients

## Method

## Serving Suggestions/Remarks

# Recipe

SERVES: _____     EQUIPMENT: _____

COOKING TIMES: _____

OVEN TEMPERATURE: _____

## Ingredients

_____

_____

_____

_____

_____

_____

_____

## Method

_____

_____

_____

_____

_____

_____

_____

## Serving Suggestions/Remarks

_____

_____

_____

_____

# Meat & Poultry

*'You first parents of the human race ... who ruined yourself
for an apple,
what might you not have done for a truffled turkey?'*
ANTHELME BRILLAT-SAVARIN (1755–1826)

# Recipe

SERVES:————————————  EQUIPMENT:————————————
COOKING TIMES:————————————————————————————
OVEN TEMPERATURE:————————————————————————

## Ingredients

————————————————————————————————————————
————————————————————————————————————————
————————————————————————————————————————
————————————————————————————————————————
————————————————————————————————————————
————————————————————————————————————————
————————————————————————————————————————

## Method

————————————————————————————————————————
————————————————————————————————————————
————————————————————————————————————————
————————————————————————————————————————
————————————————————————————————————————
————————————————————————————————————————

## Serving Suggestions/Remarks

————————————————————————————————————————
————————————————————————————————————————
————————————————————————————————————————
————————————————————————————————————————
————————————————————————————————————————

# Recipe

SERVES: _____     EQUIPMENT: _____

COOKING TIMES: _____

OVEN TEMPERATURE: _____

## Ingredients

_____

_____

_____

_____

_____

_____

_____

_____

## Method

_____

_____

_____

_____

_____

_____

_____

## Serving Suggestions/Remarks

_____

_____

_____

_____

_____

# Recipe

SERVES: _____ EQUIPMENT: _____

COOKING TIMES: _____

OVEN TEMPERATURE: _____

## Ingredients

_____

_____

_____

_____

_____

_____

## Method

_____

_____

_____

_____

_____

_____

_____

## Serving Suggestions/Remarks

_____

_____

_____

_____

_____

# Recipe

SERVES: _____    EQUIPMENT: _____

COOKING TIMES: _____

OVEN TEMPERATURE: _____

## Ingredients

_____

_____

_____

_____

_____

_____

## Method

_____

_____

_____

_____

_____

_____

## Serving Suggestions/Remarks

_____

_____

_____

_____

_____

# Recipe

SERVES: _____   EQUIPMENT: _____

COOKING TIMES: _____

OVEN TEMPERATURE: _____

## Ingredients

_____

_____

_____

_____

_____

_____

_____

## Method

_____

_____

_____

_____

_____

_____

_____

## Serving Suggestions/Remarks

_____

_____

_____

_____

_____

# Recipe

SERVES: _____    EQUIPMENT: _____

COOKING TIMES: _____

OVEN TEMPERATURE: _____

## Ingredients

_____

_____

_____

_____

_____

_____

_____

## Method

_____

_____

_____

_____

_____

_____

_____

## Serving Suggestions/Remarks

_____

_____

_____

_____

_____

# Recipe

SERVES: _____ EQUIPMENT: _____

COOKING TIMES: _____

OVEN TEMPERATURE: _____

## Ingredients

_____
_____
_____
_____
_____
_____
_____

## Method

_____
_____
_____
_____
_____
_____
_____

## Serving Suggestions/Remarks

_____
_____
_____
_____
_____

# Recipe

SERVES: _____ EQUIPMENT: _____

COOKING TIMES: _____

OVEN TEMPERATURE: _____

## Ingredients

_____

_____

_____

_____

_____

_____

_____

_____

## Method

_____

_____

_____

_____

_____

_____

_____

## Serving Suggestions/Remarks

_____

_____

_____

_____

_____

# Recipe

SERVES: _____ EQUIPMENT: _____

COOKING TIMES: _____

OVEN TEMPERATURE: _____

## Ingredients

_____

_____

_____

_____

_____

_____

_____

_____

## Method

_____

_____

_____

_____

_____

_____

_____

## Serving Suggestions/Remarks

_____

_____

_____

_____

_____

# Recipe

SERVES: —————————— EQUIPMENT: ——————————

COOKING TIMES: ——————————

OVEN TEMPERATURE: ——————————

## Ingredients

## Method

## Serving Suggestions/Remarks

# Recipe

SERVES: _____ EQUIPMENT: _____

COOKING TIMES: _____

OVEN TEMPERATURE: _____

## Ingredients

_____

_____

_____

_____

_____

_____

## Method

_____

_____

_____

_____

_____

_____

_____

## Serving Suggestions/Remarks

_____

_____

_____

_____

# Recipe

SERVES: _____     EQUIPMENT: _____
COOKING TIMES: _____
OVEN TEMPERATURE: _____

## Ingredients

_____

_____

_____

_____

_____

_____

_____

## Method

_____

_____

_____

_____

_____

_____

_____

## Serving Suggestions/Remarks

_____

_____

_____

_____

# Recipe

SERVES: _____ EQUIPMENT: _____

COOKING TIMES: _____

OVEN TEMPERATURE: _____

## Ingredients

_____

_____

_____

_____

_____

_____

_____

## Method

_____

_____

_____

_____

_____

_____

_____

## Serving Suggestions/Remarks

_____

_____

_____

_____

_____

# Recipe

SERVES:_____ EQUIPMENT:_____

COOKING TIMES:_____

OVEN TEMPERATURE:_____

## Ingredients

_____
_____
_____
_____
_____
_____
_____

## Method

_____
_____
_____
_____
_____
_____
_____

## Serving Suggestions/Remarks

_____
_____
_____
_____
_____

# Recipe

SERVES:_____ EQUIPMENT:_____

COOKING TIMES:_____

OVEN TEMPERATURE:_____

## Ingredients

_____
_____
_____
_____
_____
_____
_____

## Method

_____
_____
_____
_____
_____
_____

## Serving Suggestions/Remarks

_____
_____
_____
_____
_____

# Recipe

SERVES: _____        EQUIPMENT: _____

COOKING TIMES: _____

OVEN TEMPERATURE: _____

## Ingredients

_____

_____

_____

_____

_____

_____

_____

## Method

_____

_____

_____

_____

_____

_____

_____

## Serving Suggestions/Remarks

_____

_____

_____

_____

_____

# Recipe

SERVES: _____ EQUIPMENT: _____

COOKING TIMES: _____

OVEN TEMPERATURE: _____

## Ingredients

_____
_____
_____
_____
_____
_____
_____

## Method

_____
_____
_____
_____
_____
_____
_____

## Serving Suggestions/Remarks

_____
_____
_____
_____
_____

# Recipe

SERVES:_____ EQUIPMENT:_____

COOKING TIMES:_____

OVEN TEMPERATURE:_____

## Ingredients

_____

_____

_____

_____

_____

_____

_____

## Method

_____

_____

_____

_____

_____

_____

_____

## Serving Suggestions/Remarks

_____

_____

_____

_____

# Recipe

Serves:————————— Equipment:—————————
Cooking Times:————————————————————
Oven Temperature:—————————————————

## Ingredients

## Method

## Serving Suggestions/Remarks

# Recipe

SERVES:        EQUIPMENT:

COOKING TIMES:

OVEN TEMPERATURE:

*Ingredients*

*Method*

*Serving Suggestions/Remarks*

# Recipe

SERVES: _____   EQUIPMENT: _____

COOKING TIMES: _____

OVEN TEMPERATURE: _____

## Ingredients

_____
_____
_____
_____
_____
_____
_____

## Method

_____
_____
_____
_____
_____
_____
_____
_____

## Serving Suggestions/Remarks

_____
_____
_____
_____
_____

# Recipe

SERVES: _____         EQUIPMENT: _____
COOKING TIMES: _____
OVEN TEMPERATURE: _____

## Ingredients

_____

_____

_____

_____

_____

_____

_____

## Method

_____

_____

_____

_____

_____

_____

_____

_____

## Serving Suggestions/Remarks

_____

_____

_____

_____

_____

_____

# Recipe

SERVES:_____     EQUIPMENT:_____

COOKING TIMES:_____

OVEN TEMPERATURE:_____

## Ingredients

_____
_____
_____
_____
_____
_____
_____
_____

## Method

_____
_____
_____
_____
_____
_____
_____

## Serving Suggestions/Remarks

_____
_____
_____
_____
_____

# Vegetables & Salads

# Recipe

SERVES: _____     EQUIPMENT: _____

COOKING TIMES: _____

OVEN TEMPERATURE: _____

## Ingredients

_____

_____

_____

_____

_____

_____

_____

_____

## Method

_____

_____

_____

_____

_____

_____

_____

_____

## Serving Suggestions/Remarks

_____

_____

_____

_____

_____

# Recipe

SERVES:_____     EQUIPMENT:_____

COOKING TIMES:_____

OVEN TEMPERATURE:_____

## Ingredients

_____

_____

_____

_____

_____

_____

_____

## Method

_____

_____

_____

_____

_____

_____

_____

## Serving Suggestions/Remarks

_____

_____

_____

_____

_____

# Recipe

SERVES: _____  EQUIPMENT: _____

COOKING TIMES: _____

OVEN TEMPERATURE: _____

## Ingredients

_____

_____

_____

_____

_____

_____

_____

## Method

_____

_____

_____

_____

_____

_____

_____

_____

## Serving Suggestions/Remarks

_____

_____

_____

_____

_____

# Recipe

SERVES: _____     EQUIPMENT: _____
COOKING TIMES: _____
OVEN TEMPERATURE: _____

## Ingredients

_____
_____
_____
_____
_____
_____
_____
_____

## Method

_____
_____
_____
_____
_____
_____
_____
_____

## Serving Suggestions/Remarks

_____
_____
_____
_____
_____

# Recipe

Serves:————————— Equipment:—————————
Cooking Times:——————————————————
Oven Temperature:————————————————

## Ingredients

## Method

## Serving Suggestions/Remarks

# Recipe

SERVES:_____ EQUIPMENT:_____

COOKING TIMES:_____

OVEN TEMPERATURE:_____

## Ingredients

_____

_____

_____

_____

_____

_____

_____

_____

## Method

_____

_____

_____

_____

_____

_____

_____

## Serving Suggestions/Remarks

_____

_____

_____

_____

_____

# Recipe

Serves:_____  Equipment:_____

Cooking Times:_____

Oven Temperature:_____

## Ingredients

_____
_____
_____
_____
_____
_____
_____
_____
_____

## Method

_____
_____
_____
_____
_____
_____
_____
_____
_____

## Serving Suggestions/Remarks

_____
_____
_____
_____
_____
_____

# Recipe

Serves:_____ Equipment:_____
Cooking Times:_____
Oven Temperature:_____

## Ingredients

_____
_____
_____
_____
_____
_____
_____
_____

## Method

_____
_____
_____
_____
_____
_____
_____
_____

## Serving Suggestions/Remarks

_____
_____
_____
_____
_____

# Recipe

Serves:_____  Equipment:_____

Cooking Times:_____

Oven Temperature:_____

## Ingredients

_____
_____
_____
_____
_____
_____
_____
_____

## Method

_____
_____
_____
_____
_____
_____
_____
_____

## Serving Suggestions/Remarks

_____
_____
_____
_____
_____

# Recipe

Serves: _____  Equipment: _____

Cooking Times: _____

Oven Temperature: _____

## Ingredients

_____

_____

_____

_____

_____

_____

_____

_____

## Method

_____

_____

_____

_____

_____

_____

_____

_____

## Serving Suggestions/Remarks

_____

_____

_____

_____

_____

_____

# Recipe

SERVES:————————————— EQUIPMENT:————————————

COOKING TIMES:————————————————————————

OVEN TEMPERATURE:——————————————————————

## Ingredients

## Method

## Serving Suggestions/Remarks

# Recipe

SERVES: _____  EQUIPMENT: _____
COOKING TIMES: _____
OVEN TEMPERATURE: _____

## Ingredients

_____
_____
_____
_____
_____
_____
_____

## Method

_____
_____
_____
_____
_____
_____
_____
_____

## Serving Suggestions/Remarks

_____
_____
_____
_____
_____

# Recipe

SERVES:———————— EQUIPMENT:————————

COOKING TIMES:————————————

OVEN TEMPERATURE:————————————

## Ingredients

_____

_____

_____

_____

_____

_____

_____

_____

## Method

_____

_____

_____

_____

_____

_____

_____

_____

_____

## Serving Suggestions/Remarks

_____

_____

_____

_____

_____

# Recipe

SERVES:_____  EQUIPMENT:_____

COOKING TIMES:_____

OVEN TEMPERATURE:_____

## Ingredients

_____

_____

_____

_____

_____

_____

_____

## Method

_____

_____

_____

_____

_____

_____

_____

## Serving Suggestions/Remarks

_____

_____

_____

_____

_____

# Recipe

SERVES:——————— EQUIPMENT:———————

COOKING TIMES:————————————

OVEN TEMPERATURE:—————————

## Ingredients

_____
_____
_____
_____
_____
_____
_____
_____

## Method

_____
_____
_____
_____
_____
_____
_____
_____

## Serving Suggestions/Remarks

_____
_____
_____
_____
_____

# Recipe

SERVES:————————— EQUIPMENT:————————————

COOKING TIMES:————————————————————————

OVEN TEMPERATURE:—————————————————————

## Ingredients

————————————————————————————————
————————————————————————————————
————————————————————————————————
————————————————————————————————
————————————————————————————————
————————————————————————————————
————————————————————————————————
————————————————————————————————

## Method

————————————————————————————————
————————————————————————————————
————————————————————————————————
————————————————————————————————
————————————————————————————————
————————————————————————————————
————————————————————————————————
————————————————————————————————

## Serving Suggestions/Remarks

————————————————————————————————
————————————————————————————————
————————————————————————————————
————————————————————————————————
————————————————————————————————
————————————————————————————————

# Recipe

Serves:_____ Equipment:_____

Cooking Times:_____

Oven Temperature:_____

## Ingredients

_____
_____
_____
_____
_____
_____
_____

## Method

_____
_____
_____
_____
_____
_____
_____

## Serving Suggestions/Remarks

_____
_____
_____
_____
_____

# Recipe

SERVES:_____ EQUIPMENT:_____

COOKING TIMES:_____

OVEN TEMPERATURE:_____

## Ingredients

_____

_____

_____

_____

_____

_____

_____

## Method

_____

_____

_____

_____

_____

_____

_____

_____

## Serving Suggestions/Remarks

_____

_____

_____

_____

_____

# Recipe

SERVES:————————— EQUIPMENT:—————————

COOKING TIMES:—————————————————

OVEN TEMPERATURE:————————————————

## Ingredients

_____

_____

_____

_____

_____

_____

_____

## Method

_____

_____

_____

_____

_____

_____

_____

## Serving Suggestions/Remarks

_____

_____

_____

_____

# Recipe

SERVES: ———————————— EQUIPMENT: ————————————

COOKING TIMES: ————————————

OVEN TEMPERATURE: ————————————

## Ingredients

## Method

## Serving Suggestions/Remarks

# Recipe

SERVES:_____   EQUIPMENT:_____

COOKING TIMES:_____

OVEN TEMPERATURE:_____

## Ingredients

_____
_____
_____
_____
_____
_____
_____

## Method

_____
_____
_____
_____
_____
_____
_____
_____

## Serving Suggestions/Remarks

_____
_____
_____
_____
_____

# Recipe

SERVES:_____ EQUIPMENT:_____

COOKING TIMES:_____

OVEN TEMPERATURE:_____

## Ingredients

_____
_____
_____
_____
_____
_____
_____
_____

## Method

_____
_____
_____
_____
_____
_____
_____
_____

## Serving Suggestions/Remarks

_____
_____
_____
_____
_____

# Recipe

Serves:———————— Equipment:————————
Cooking Times:————————————————
Oven Temperature:—————————————

## Ingredients

_____
_____
_____
_____
_____
_____
_____
_____

## Method

_____
_____
_____
_____
_____
_____
_____
_____

## Serving Suggestions/Remarks

_____
_____
_____
_____
_____
_____

# Desserts

*'Dinner is, like life, a curve:*
*it starts off with the lightest courses, rises to the heavier,*
*and concludes once more with the light.'*
NOVALIS (FREDERICH VON HARDENBERG, 1772-1801)

# Recipe

SERVES:_____ EQUIPMENT:_____

COOKING TIMES:_____

OVEN TEMPERATURE:_____

## Ingredients

_____

_____

_____

_____

_____

_____

_____

## Method

_____

_____

_____

_____

_____

_____

_____

## Serving Suggestions/Remarks

_____

_____

_____

_____

_____

# Recipe

SERVES:_____ EQUIPMENT:_____

COOKING TIMES:_____

OVEN TEMPERATURE:_____

## Ingredients

_____

_____

_____

_____

_____

_____

_____

## Method

_____

_____

_____

_____

_____

_____

_____

_____

## Serving Suggestions/Remarks

_____

_____

_____

_____

_____

# Recipe

SERVES:_____ EQUIPMENT:_____

COOKING TIMES:_____

OVEN TEMPERATURE:_____

## Ingredients

_____
_____
_____
_____
_____
_____
_____
_____

## Method

_____
_____
_____
_____
_____
_____
_____
_____

## Serving Suggestions/Remarks

_____
_____
_____
_____
_____
_____

# Recipe

SERVES:_____        EQUIPMENT:_____

COOKING TIMES:_____

OVEN TEMPERATURE:_____

## Ingredients

_____

_____

_____

_____

_____

_____

_____

## Method

_____

_____

_____

_____

_____

_____

_____

## Serving Suggestions/Remarks

_____

_____

_____

_____

_____

# Recipe

SERVES:_____     EQUIPMENT:_____

COOKING TIMES:_____

OVEN TEMPERATURE:_____

## Ingredients

_____
_____
_____
_____
_____
_____
_____
_____

## Method

_____
_____
_____
_____
_____
_____
_____
_____

## Serving Suggestions/Remarks

_____
_____
_____
_____
_____

# Recipe

SERVES:———————— EQUIPMENT:————————
COOKING TIMES:————————
OVEN TEMPERATURE:————————

## Ingredients

## Method

## Serving Suggestions/Remarks

# Recipe

SERVES:——————————— EQUIPMENT:———————

COOKING TIMES:————————————————

OVEN TEMPERATURE:——————————————

## Ingredients

————————————————————————

————————————————————————

————————————————————————

————————————————————————

————————————————————————

————————————————————————

————————————————————————

————————————————————————

————————————————————————

## Method

————————————————————————

————————————————————————

————————————————————————

————————————————————————

————————————————————————

————————————————————————

————————————————————————

## Serving Suggestions/Remarks

————————————————————————

————————————————————————

————————————————————————

————————————————————————

————————————————————————

# Recipe

Serves:————————————— Equipment:—————————————

Cooking Times:—————————————————————————————

Oven Temperature:———————————————————————————

## Ingredients

———————————————————————————————————————

———————————————————————————————————————

———————————————————————————————————————

———————————————————————————————————————

———————————————————————————————————————

———————————————————————————————————————

———————————————————————————————————————

## Method

———————————————————————————————————————

———————————————————————————————————————

———————————————————————————————————————

———————————————————————————————————————

———————————————————————————————————————

———————————————————————————————————————

———————————————————————————————————————

## Serving Suggestions/Remarks

———————————————————————————————————————

———————————————————————————————————————

———————————————————————————————————————

———————————————————————————————————————

———————————————————————————————————————

# Recipe

SERVES:_____ EQUIPMENT:_____

COOKING TIMES:_____

OVEN TEMPERATURE:_____

## Ingredients

_____
_____
_____
_____
_____
_____
_____

## Method

_____
_____
_____
_____
_____
_____
_____

## Serving Suggestions/Remarks

_____
_____
_____
_____
_____

# Recipe

Serves:—————————— Equipment:——————————
Cooking Times:——————————
Oven Temperature:——————————

## Ingredients

## Method

## Serving Suggestions/Remarks

# Recipe

SERVES:—————————— EQUIPMENT:——————————
COOKING TIMES:——————————
OVEN TEMPERATURE:——————————

## Ingredients

## Method

## Serving Suggestions/Remarks

# Recipe

SERVES:_____    EQUIPMENT:_____

COOKING TIMES:_____

OVEN TEMPERATURE:_____

## Ingredients

_____

_____

_____

_____

_____

_____

_____

_____

## Method

_____

_____

_____

_____

_____

_____

_____

## Serving Suggestions/Remarks

_____

_____

_____

_____

_____

# Recipe

Serves:———————   Equipment:———————
Cooking Times:———————————————
Oven Temperature:—————————————

## Ingredients

## Method

## Serving Suggestions/Remarks

# Recipe

SERVES: _____ EQUIPMENT: _____

COOKING TIMES: _____

OVEN TEMPERATURE: _____

## Ingredients

_____

_____

_____

_____

_____

_____

_____

## Method

_____

_____

_____

_____

_____

_____

_____

## Serving Suggestions/Remarks

_____

_____

_____

_____

_____

# Recipe

SERVES:——————————— EQUIPMENT:———————————

COOKING TIMES:———————————

OVEN TEMPERATURE:———————————

## Ingredients

## Method

## Serving Suggestions/Remarks

# Recipe

SERVES:_____ EQUIPMENT:_____

COOKING TIMES:_____

OVEN TEMPERATURE:_____

## Ingredients

_____

_____

_____

_____

_____

_____

_____

## Method

_____

_____

_____

_____

_____

_____

_____

## Serving Suggestions/Remarks

_____

_____

_____

_____

_____

# Recipe

Serves:——————————————— Equipment:———————————————

Cooking Times:——————————————————————————————

Oven Temperature:——————————————————————————

## Ingredients

—————————————————————————————————————
—————————————————————————————————————
—————————————————————————————————————
—————————————————————————————————————
—————————————————————————————————————
—————————————————————————————————————
—————————————————————————————————————

## Method

—————————————————————————————————————
—————————————————————————————————————
—————————————————————————————————————
—————————————————————————————————————
—————————————————————————————————————
—————————————————————————————————————
—————————————————————————————————————

## Serving Suggestions/Remarks

—————————————————————————————————————
—————————————————————————————————————
—————————————————————————————————————
—————————————————————————————————————
—————————————————————————————————————

# Recipe

SERVES: _____ EQUIPMENT: _____

COOKING TIMES: _____

OVEN TEMPERATURE: _____

## Ingredients

_____
_____
_____
_____
_____
_____
_____
_____

## Method

_____
_____
_____
_____
_____
_____
_____

## Serving Suggestions/Remarks

_____
_____
_____
_____
_____

# Recipe

SERVES:———————— EQUIPMENT:————————

COOKING TIMES:————————————————

OVEN TEMPERATURE:———————————————

*Ingredients*

————————————————————

————————————————————

————————————————————

————————————————————

————————————————————

————————————————————

————————————————————

*Method*

————————————————————

————————————————————

————————————————————

————————————————————

————————————————————

————————————————————

————————————————————

*Serving Suggestions/Remarks*

————————————————————

————————————————————

————————————————————

————————————————————

————————————————————

# Weights & Measures

*Conversions, equivalents and substitutions*

For all your cooking, decide which system of weights & measures you are going to use – imperial, US or metric – and stick to that: don't mix them! Conversions are only a rough guide and the proportions will only be right within any one system. The 'Equivalents' table given here, though, will help to sort out those tricky ones, and together with the table of 'US Cup Measures' should sort out even the trickiest recipe problems for you.

### Equivalents

t = teaspoon (5ml), T = tablespoon (20ml), C = cup (250 ml metric, 8 floz imperial or US)

| *metric* | 30g | 125g | 250g | *metric* | 30g | 125g | 250g |
|---|---|---|---|---|---|---|---|
| *imperial/US* | *1 oz* | *4 oz* | *8 oz* | *imperial/US* | *1 oz* | *4 oz* | *8 oz* |
| almonds, ground | ¼C | 1¼C | 2¼C | fruit, mixed dried | 2T | ¾C | 1½C |
| slivered | ¼C | 1C | 2¼C | haricot beans | 2T | ⅔C | 1¼C |
| whole | ¼C | ¾C | 1½C | milk powder, full cream | ¼C | 1¼C | 2¼C |
| apricots, dried, chopped | ¼C | 1C | 2C | non-fat | ⅓C | 1½C | 3¼C |
| whole | 3T | 1C | 1¾C | oatmeal | 2T | ¾C | 1⅔C |
| arrowroot | 2T | ⅔C | 1⅓C | pasta, short (e.g. macaroni) | 2T | ¾C | 1¾C |
| barley | 2T | ⅔C | 1¼C | peanuts, shelled, raw, whole | 2T | ¾C | 1½C |
| breadcrumbs, dry | ¼C | 1C | 2C | roasted, whole | 2T | ¾C | 1⅔C |
| soft | ½C | 2C | 4¼C | chopped | ¼C | 1C | 2C |
| biscuit crumbs | ¼C | 1¼C | 2¼C | peas, split | 2T | ⅔C | 1¼C |
| butter, margarine or fat | 6t | ½C | 1C | peel, mixed | 2T | ¾C | 1½C |
| cheese, grated, lightly packed | | | | prunes, whole, pitted | 2T | ¾C | 1¼C |
| natural Cheddar | ¼C | 1C | 2C | raisins | ¼C | ¾C | 1¾C |
| processed Cheddar | 2T | ¾C | 1⅔C | rice, short grain, raw | 2T | ⅔C | 1¼C |
| hard grating (Parmesan etc) | ¼C | 1C | 2¼C | long-grain, raw | 2T | ¾C | 1½C |
| cherries, glacé, chopped | 2T | ¾C | 1½C | rolled oats | 2T | 1¼C | 2¾C |
| whole | 2T | ⅔C | 1⅓C | semolina | 2T | ¾C | 1½C |
| cocoa | ¼C | 1¼C | 2¼C | sugar, white crystalline | 6t | ½C | 1C |
| coconut, desiccated | ⅓C | 1⅓C | 2⅔C | caster | 5t | ½C | 1¼C |
| shredded | ⅔C | 2½C | 5C | icing | 2T | ¾C | 1½C |
| cornflour, custard powder | 3T | 1C | 2C | brown, firmly packed | 2T | ¾C | 1½C |
| cornflakes | 1C | 4½C | 8¼C | sultanas | 2T | ¾C | 1½C |
| currants | 2T | ¾C | 1⅔C | walnuts, chopped | ¼C | 1C | 2C |
| dates, chopped | 2T | ¾C | 1⅔C | halved | ⅓C | 1¼C | 2½C |
| whole, pitted | 2T | ¾C | 1½C | yeast, active dried | 8t | — | — |
| figs, dried, chopped | 2T | ¼T | 1½C | compressed | 6t | — | — |
| flour, plain or self-raising | ¼C | 1C | 2C | | | | |
| wholemeal | 3T | 1C | 1¾C | | | | |

### US cup measures

Each imperial/metric measure is equivalent to 1 US cup

| | | | |
|---|---|---|---|
| ground almonds | 4½oz/125g | icing sugar | 4oz/110g |
| dried fruit | 6oz/175g | cornflour (cornstarch) | 4½oz/125g |
| lentils, yellow split peas etc | 8oz/225g | cheese: grated Parmesan | 8oz/225g |
| rice, tapioca etc | 8oz/225g | butter, lard, dripping | 8oz/225g |
| flour | 5oz/150g | tomato: roughly chopped flesh only | 7oz/200g |
| sifted flour | 4½oz/125g | spinach: cooked and chopped | 12oz/325g |
| sugar: caster, granulated | 7oz/200g | beef kidney suet, chopped | 5oz/150g |

1 US cup = 8 floz, 1 US pint = 2 cups or 16 floz

# Weights & Measures

──────────── *Substitutions* ────────────

| | |
|---|---|
| cooking chocolate, 1 oz/30g | = 3 tbs cocoa + 1 oz/30g butter |
| cream, sour, 1 cup | = 1 tbs lemon juice or white vinegar + cream to make 1 cup (*see* sour milk) |
| garlic, fresh, 1 clove: | = ¼ tsp powdered, or to taste |
| ginger, fresh green root, grated, 1 tbs | = preserved ginger with syrup washed off, or ¼–½ tsp ground ginger |
| herbs, fresh chopped, 1 tbs | = 1 tsp dried or ½ tsp powdered |
| milk, fresh, 1 cup | = ½ cup evaporated milk + ½ cup water |
| milk, sour, 1 cup | = 1 tbs lemon juice or white vinegar + milk to make 1 cup with similar taste and reaction in cooking, and warm slightly to get true, thick consistency |
| self-raising flour, 1 cup | = 1 cup plain flour + 2 tsp baking powder |
| yeast, compressed, 1 oz/30g | = 2 tsp active dry yeast (¼ oz/7g) |

*N.B. It is always best to use red or white wine vinegar in the recipes where vinegar is required;*
*the results will not be the same if you use malt vinegar. In the same way, freshly ground black*
*pepper should always be used in preference to ready-ground pepper, and remember that black*
*pepper is more tasty and pungent than white.*

──────────── *Oven temperatures* ────────────

The following are gas, Fahrenheit and centigrade equivalents:

| Gas | ¼ | ½ | 1 | 2 | 3 | 4 | 5 | 6 | 7 | 8 | 9 |
|---|---|---|---|---|---|---|---|---|---|---|---|
| °F | 225 | 250 | 275 | 300 | 325 | 350 | 375 | 400 | 425 | 450 | 475 |
| °C | 110 | 120 | 140 | 160 | 170 | 180 | 190 | 200 | 220 | 230 | 250 |

──────────── *Standard abbreviations* ────────────

| *metric* | | *imperial and US* | |
|---|---|---|---|
| g | gram | oz | ounce |
| kg | kilogram | lb | pound |
| cl | centilitre (= 10cc in domestic use) | floz | fluid ounce |
| dl | decilitre (= 100cc in domestic use) | pt | pint |
| l | litre (often *l* or in full) | gal | gallon |
| mm | millimetre | in | inch |
| cm | centimetre | tsp | teaspoon (level) |
| m | metre | tbs | tablespoon (level) |
| cc | cubic centimetre | | |

*Note that in all cases plurals are the same abbreviation – do* **not** *write*
*kgs, mms, ins, lbs etc!*

# Wines

*The finishing touch*

Nowadays excellent quality table wines are within the reach of everyone, though you should expect to pay more for a good vintage wine from one of the famous vineyards, such as Nuits-St-Georges or Schloss Johannisberg Riesling. When buying French wine, look for the *Appellation Contrôlée* label, which is a guarantee of quality.

Below is a guide to the wines that go best with certain foods, but there are no absolute *rules* about which wine to serve with what food – in the end it is your palate that must decide. For a large, formal meal, certain wines traditionally follow each other through the menu and you could serve three or even four wines at one meal. In this case, it is usual to serve dry sherry with the soup, dry white wine with the fish course, claret or burgundy with the meat or game and a white dessert wine or medium sweet champagne with the dessert. For cheese, your guests would return to the claret or burgundy. Certain foods kill the flavour of wine and should therefore be avoided if you are planning to serve wine with your meal. Mint sauce, for example, or any salad with a strong vinaigrette dressing, will destroy the taste of the wine.

Remember that red wines are generally served *chambré*, or at room temperature, to bring out the flavour. Draw the cork at least three or four hours before you plan to drink the wine and let the bottle stand in the kitchen or a warm room. (Never be tempted into putting the bottle in hot water or in front of the fire – the flavour will be ruined.) The exception to the *chambré* rule is Beaujolais, which can be served cool – some people even serve it chilled. White or rosé wines are usually served chilled – the easiest way is to put them in the fridge an hour before serving, or plunge them into an ice bucket, if you have one. Champagne should also be served well chilled and is generally brought to the table in an ice bucket.

## Wines to Serve with Food

| | |
|---|---|
| Oysters, shellfish | Chablis, dry Moselle, Champagne |
| Fried or grilled fish | Dry Graves, Moselle, Hock, Rosé, Blanc de Blanc |
| Fish with sauces | Riesling, Pouilly-Fuissé, Chablis |
| Veal, pork or chicken dishes (served simply) | Rosé, Riesling, a light red wine such as Beaujolais |
| Chicken or pork served with a rich sauce | Claret, Côte de Rhône, Médoc |
| Rich meat dishes, steaks, game | Red Burgundy, Rioja, Red Chianti |
| Lamb or duck | Claret, Beaujolais |
| Desserts and puddings | White Bordeaux, Sauternes, Entre Deux Mers |
| Cheese | Burgundy, Rioja, Cabernet Sauvignon |

The opposite page is for notes about wines that you have particularly liked.

# Notes about Wines

# Notes

# Notes